Pierre

a mangé trop de bonbons

— Moi j'adore les bonbons de mamie ! Tu les aimerais sûrement, mon Rubis, dit Pierre en mâchant deux nouvelles friandises à la fraise.

— Ne mange plus de bonbons Pierre, on va bientôt passer à table, demande maman en regardant une recette de cuisine.

— C'est trop difficile... répond Pierre, la bouche pleine...

– Tenez, mes jouets, je vous ai apportés des bonbons ! plaisante Pierre en faisant la distribution.

Mais Pierre les mange tous, au fur et à mesure qu'il joue...

Maman a demandé à Pierre de venir à table...

— Je n'ai pas très faim, et puis j'aime pas les légumes, dit Pierre en séparant les petits pois un par un.

— Celui qui attrapera
dix petits pois, et les
mangera d'un coup,
aura gagné ! lance
maman pour faire
manger Pierre,
tout en jouant.

Mais les petits pois de maman roulent
et s'écrasent en purée sur la nappe...
Pierre rit tellement qu'il ne pense même plus
à manger ses petits pois...

— Imagine que les petits pois sont d'énormes bonbons ronds à la pomme verte...

— Beurkkk, j'aime pas ces bonbons-là ! coupe Pierre en faisant la grimace.

— Je n'ai pas faim du tout, maman !
dit Pierre d'une petite voix.

— Tu as mangé trop de bonbons,
et puisque tu n'es pas assez raisonnable,
il n'y aura plus de friandises à la maison...

— Maman ! J'ai très mal au ventre ! appelle Pierre en lâchant d'un coup son jouet.

— Voilà ce qui arrive aux petits ogres dévoreurs de bonbons !

— Et... et en plus, c'est l'anniversaire de Théo cet après-midi... gémit Pierre.

– Moi, dit maman, je connais un remède pour guérir très vite... c'est la soupe de carottes !

– Beurkkk, j'aime pas ça maman...

Mais Pierre a tellement envie d'aller chez Théo
qu'il accepte de manger toute la soupe...
— On peut y aller maman ! s'écrie Pierre
qui a repris ses couleurs.

– Tu as l'air en pleine forme ! félicite la maman de Théo en l'invitant à se joindre à la fête.

Pierre court pour remettre son cadeau à Théo.

À la table du goûter, Théo distribue tout plein de bonbons...

– Hmmm merci ! ce sont mes préférés ! s'exclame Pierre en les entassant dans son assiette.

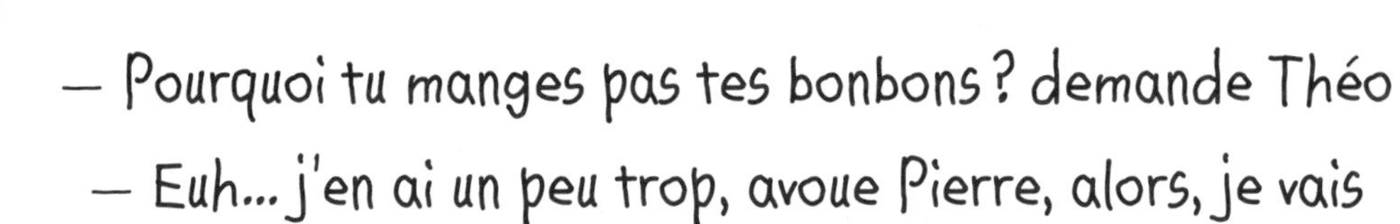

— Pourquoi tu manges pas tes bonbons ? demande Théo

— Euh... j'en ai un peu trop, avoue Pierre, alors, je vais les partager avec vous !

La fête est finie, et Pierre s'est bien amusé avec Théo et ses amis.

– J'ai mangé que deux bonbons, raconte Pierre fièrement.

— Il y aura toujours des bonbons à la maison, comme avant ? interroge Pierre.

— Oui, mon ogre gourmand, mais... dans un bocal plus petit alors ! sourit maman.

Imprimé en Belgique